Domitille de Pressensé

# émilie
## fait un gâteau

Mise en couleurs : Guimauv'

il pleut.

on s'ennuie.

si vous faisiez
un gâteau
pour le goûter ?

dit maman.

# quelle bonne idée !

on met les tabliers
pour ne pas se salir.

pour faire

il

des œufs,

du
beurre,

de la farine,

le gâteau
faut :

du sucre,

du
chocolat
fondu,

de la levure.

on mélange tout
dans le saladier,

on verse la pâte
dans le moule.

la maman d'émilie
la mettra à cuire
dans le four

et ça deviendra
un vrai gâteau.

# oh !

nicolas t'exagères.

ben quoi !

c'est bon,
le chocolat fondu...

moi aussi,
j'en veux !

oh là là !

il n'y a plus
de chocolat.

et alors ?

ça fera un gâteau
au chocolat,
sans chocolat, tiens !

c'est moi
qui casse les œufs !
dit stéphane.

# non !

# c'est moi !
# c'est moi !

ooooooooh !

les œufs sont tout
écrabouillés par terre...

moi, je sais !

il faut renverser
la farine sur les œufs.

ça vole partout !

ah !

ah !

arthur est tombé
dedans.

la
porte
s'ouvre...

maman
entre dans la cuisine.

elle

n'est pas

contente.

il faut tout
nettoyer et
puis se laver.

et comme
il ne reste plus rien
pour faire
le **gâteau**...


il n'y a que du pain
et du beurre pour
le goûter.

ça ne fait rien,
parce qu'on s'est
super bien
amusés !

Mise en page : Guimauv'
www.casterman.com
© Casterman 2009

ISBN 978-2-203-02186-0
N° d'édition : L.10EJDN000478.C008
Achevé d'imprimer en janvier 2014 en Italie par Lego.
Dépôt légal : mars 2009 ; D. 2009/0053/210
Déposé au ministère de la Justice, Paris (loi n° 49.956 du 16 juillet 1949 sur les publications destinées à la jeunesse).